科学実験対決漫画

実験対決
㊻ 粒子状物質と大気の対決

내일은 실험왕 ㊻

Text Copyright © 2019 by Story a.

Illustrations Copyright © 2019 by Hong Jong-Hyun

Japanese translation Copyright © 2023 Asahi Shimbun Publications Inc.

All rights reserved.

Original Korean edition was published by Mirae N Co., Ltd.(I-seum)

Japanese translation rights was arranged with Mirae N Co., Ltd.(I-seum)

through VELDUP CO.,LTD.

科学実験対決漫画

実験対決
㊻ 粒子状物質と大気の対決

文：ストーリーa.　絵：洪鐘賢

目次

第1話　粒子状物質の襲来　8

| 科学ポイント | ロンドンスモッグ事件、PM10、PM2.5 |

理科実験室①　家で実験　大気汚染物質の確認　32

第2話　それぞれのやり方、それぞれの役割　34

| 科学ポイント | タバコの肺がんの危険、有害物質とフィルター |

理科実験室②　歴史の中の科学　世界の大気汚染事件　56

G博士の実験室1　黄砂と粒子状物質の違い　57

第3話　なんだか居心地の悪い対決観戦　58

| 科学ポイント | カルマン渦、逆転層、静電気、ライデン瓶 |

理科実験室③　生活の中の科学
　　　　　　粒子状物質の環境基準と注意喚起　80

第4話　ついに始まったベスト8の対決！　82

| 科学ポイント | 人工降雨、大気汚染、粒子状物質濃度測定法 |

理科実験室④　理科室で実験　植物の空気浄化実験　106

G博士の実験室2　粒子状物質の低減方法　109

4

第5話　でも、みんなは大丈夫？　110

科学ポイント　大気汚染物質、粒子状物質の発生原因、空気清浄機

理科実験室⑤　対決の中の実験
　　　　　　　静電気を利用した空気浄化実験　132

第6話　お互いを心の底から信じるということ　134

科学ポイント　静電気フィルター、マスク

理科実験室⑥　実験対決豆知識　大気汚染と粒子状物質　160

登場人物

ウジュ
所属：韓国代表実験クラブBチーム
観察内容：・相手チームの実力を探るために、対決を1つ1つ観戦する、意外と堅実な少年。
・他人とは違う独特な考え方をして周りの人をイライラさせるが、その中に問題の核心を突く何かがある。
観察結果：強い相手チームと比較して、自分が粒子状物質のように小さく感じると嘆くものの、すぐに自分なりの方法で問題を解決しようとする。

ウォンソ
所属：韓国代表実験クラブBチーム
観察内容：・PM10の濃度が高くなると、しばらくの間落ち着いていたぜん息がぶり返し始める。
・チームメイトを気遣い、自分の体調の悪さを隠す思いやりのある少年。
観察結果：自分がいなくてもチームメイトがちゃんと対決できるよう、万端の準備をしておく用意周到な性格の持ち主。

ラニ・ジマン
所属：韓国代表実験クラブBチーム
観察内容：・ウォンソのコンディションが良くないことを知って、対決に立ち向かう気持ちが急激にしぼむ。
・チームのために自分ができることが何なのか、一生懸命考えて見つけようとする献身的なチームメイト。
観察結果：実験の進行をリードしたり、報告書を作成したりと、自分の得意を生かせる役割に気づいてからは、寝食を忘れて、全身全霊をかけて対決への準備に没頭する。

ユウト

所属：日本代表実験クラブ

観察内容・レベルの高い情報力と安定したチームワークを誇る日本代表チームのリーダー。
・自分でも気づかないうちに、ウジュに妙な親近感をもち、対決観戦中はずっとウジュに科学の原理を説明してあげている。

観察結果：普段は礼儀正しく親切でありながらも、対決になると一転して冷徹な判断をする少年。

トーマス

所属：アメリカ代表実験クラブAチーム

観察内容・国際実験オリンピックで最多の優勝を誇るチームだけに、誰よりも対決に自信を持っている少年。
・韓国Bチーム、その中でも特にウジュの実力を見くびっている。

観察結果：韓国Bチームと日本チームのベスト8の対決観戦の途中、ウジュの隠れた才能に気づいて大きなショックを受ける。

その他の登場人物

❶ ウォンソと、短いけれど意味のある会話を交わしたハル。
❷ 最後までジマンを応援して励ましてくれるリズ。

第1話 粒子状物質の襲来

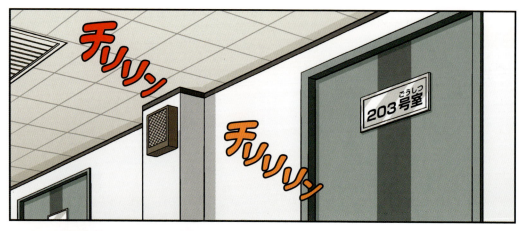

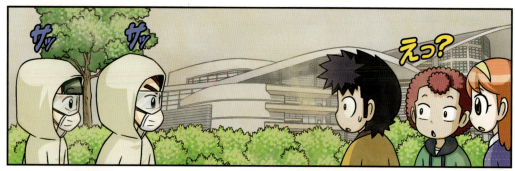

＊PM 粒子状物質（Particulate Matter）の略語。

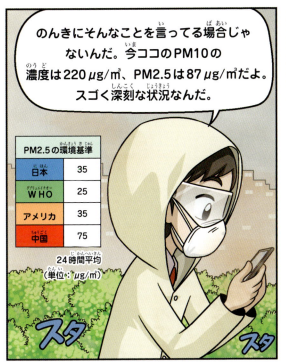

実験対決　理科実験室❶　家で実験

実験　大気汚染物質の確認

　地球は大気圏という空気の層でおおわれています。空気は生物の呼吸に欠かせないのはもちろん、音やにおいを伝え、太陽から放たれる紫外線を防いでくれます。空気は窒素や酸素、二酸化炭素などでできていますが、その中にはほこりや黄砂などの汚染物質も混ざっています。ワセリンを利用した実験を通して、私たちの周辺の空気の中に入っている汚染物質を目で直接確認してみましょう。

準備する物　使い捨ての皿2枚、ジッパーバッグ1枚、使い捨てグローブ、ワセリン、虫眼鏡、ハサミ

❶ 使い捨ての皿2枚にワセリンを0.5mmの厚さに均等に伸ばして塗ります。

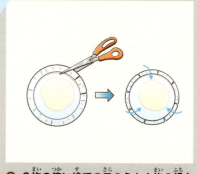

❷ 2枚の使い捨ての皿のうち1枚の縁を切った後、内側に折り曲げます。

❸ 縁を折り曲げた皿をジッパーバッグにワセリンがつかないように入れて密封します。

❹ 使い捨ての皿2枚を自宅の花壇や駐車場などに1日置きます。

⑤ 次の日、使い捨ての皿についた汚染物質を虫眼鏡で観察します。ジッパーバッグに密封した使い捨ての皿には何もついておらず、密封していない使い捨ての皿にはいろいろな汚染物質がついているのが確認できます。

どうしてそうなるの？

　　ワセリンは石油から精製された色のない無臭の化合物で、軟膏や化粧品の原料として使われます。ワセリンは粘っこくてベトベトした性質を持っているため、密封していない使い捨ての皿に汚染物質がついたのです。ワセリンの代わりに、接着力が強い両面テープを使ってもかまいません。使い捨ての皿についた汚染物質は、目で簡単に観察できるものから、顕微鏡で拡大して見なければならない微細なものまであります。実験場所や時間によって観察できる汚染物質は異なります。道路沿いや駐車場で実験すると、車のばい煙などの汚染物質が確認でき、黄砂がひどい日に空き地で実験をすれば、黄砂の砂の粒を直接確認できます。空気中に含まれたこういった汚染物質は、酸性雨やスモッグの原因にもなり、呼吸をする生物に直接的に害を及ぼすこともあります。

ワセリン　ローションやくちびるの保湿剤として使われる

地下の倉庫に置かれた皿

第2話 それぞれのやり方、それぞれの役割

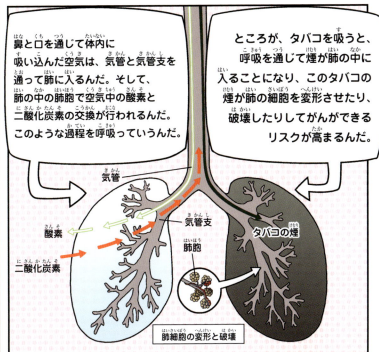

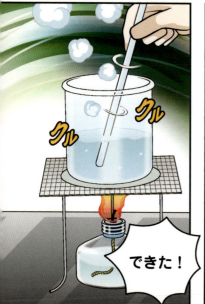

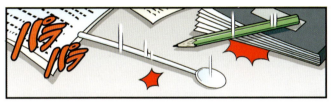

世界の大気汚染事件

ベルギーのミューズ渓谷事件

　1930年12月、ベルギーのミューズ渓谷では数千人の住民が頭痛や呼吸困難、咳などの症状を訴え、60人あまりが命を失う事件が発生しました。その地域の工場で排出した有害ガスによって急性中毒が起きたのです。ミューズ渓谷の地形的な特性により、空気の循環がうまくいかず、工場で排出された有害ガスが人間だけでなく家畜や植物にも被害を及ぼすほど、高濃度の状態になったのです。

アメリカのドノラ事件

　ドノラは製鉄所と硫酸・亜鉛製造工場などが集まっているアメリカのペンシルベニア州の小都市で、高い丘に取り囲まれ、川が曲がった部分に位置しています。この地域は、普段も工場から排出される有害ガスによって大気汚染が深刻な状態でしたが、1948年10月、風が吹かない日が数日間続いたことで、超高濃度スモッグが発生し始めました。スモッグで太陽の光はさえぎられ、煤が厚く積もった道路には足跡がつくほど深刻な状態だったといわれています。この事件によって、都市人口の40％を超す人々が被害を受け、20人あまりが命を失いました。

イギリスのロンドンスモッグ事件

　1952年12月、イギリスのロンドンの人々は、気温が普段より急激に下がったことで、暖房のため石炭の使用を増やしました。これによって、大量のばい煙が発生し、このばい煙は冷たい霧と混ざってスモッグになり、ロンドンを覆いました。濃いスモッグによって前方が見えず、車と列車の衝突事故が起きるほどでした。数日後、スモッグは消えましたが、この事件によって1万2000人以上が慢性の肺疾患や呼吸障害などで命を失いました。

前が見えない！

濃いスモッグにおおわれたロンドンの様子

博士の実験室1

黄砂と粒子状物質の違い

砂ぼこりである黄砂と粒子状物質はいろいろな違いがあるんじゃ。

	黄砂	粒子状物質
発生原因	中国やモンゴルの砂漠、黄土地帯にある砂が強い風に吹かれ、大気中に広がって発生。	主に石炭、石油などの化石燃料が燃焼するときや、工場、自動車の排気ガスによって発生。
発生時期	偏西風の影響を受けやすい3～5月に発生。	随時発生。
粒子の大きさ	0.2～20マイクロメートル程度	10マイクロメートル以下
構成成分	石英、長石、雲母ケイ素、カルシウム、アルミニウムなど	硝酸塩、硫酸塩、炭化水素など
	砂粒の拡大写真	肺組織の中の粒子状物質
主な被害	大気中の濃度によって、視界が悪くなる。農作物や洗濯物などに砂ぼこりが舞い落ちる。目の病気や呼吸器疾患を誘発する。	風邪、ぜん息などの呼吸器疾患や循環器系疾患、皮膚疾患、眼科系疾患など、さまざまな病気を誘発する。酸性雨を降らせ、土壌を荒廃させる。

つまり、両方とも実験の妨害になるってことですね！

そ、そうだな。

第3話

なんだか
居心地の悪い対決観戦

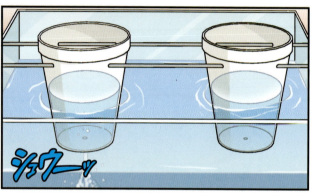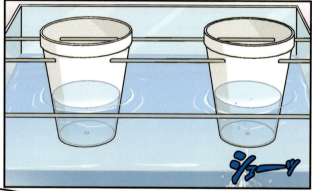

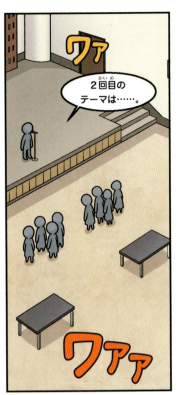

粒子状物質の環境基準と注意喚起

日本では、粒子状物質（おもにPM2.5）の環境基準について「1年平均値が15μg/m³以下であり、かつ、1日平均値が35μg/m³以下であること」と定められています。健康への影響が出る可能性が高くなると予想される水準は、「1日平均値が70μg/m³」とされています。粒子状物質が高濃度に発生した際は、都道府県等が注意喚起を行うことを推奨していますが、注意報や警報は発令されません。基準となる指針を見ていきましょう。

高濃度のときは、外出を控えよう。

注意喚起のための暫定的な指針

レベル	暫定的な指針となる値 日平均値 (μg/m³)	行動のめやす	注意喚起の判断に用いる値※3	
			午前中の早めの時間帯での判断 5時～7時 1時間値(μg/m³)	午後からの活動に備えた判断 5時～12時 1時間値(μg/m³)
Ⅱ	70超	不要不急の外出や屋外での長時間の激しい運動をできるだけ減らす。（高感受性者※2においては、体調に応じて、より慎重に行動することが望まれる。）	85超	80超
Ⅰ	70以下	特に行動を制約する必要はないが、高感受性者は、健康への影響がみられることがあるため、体調の変化に注意する。	85以下	80以下
（環境基準）	35以下※1			

※1 環境基準は環境基本法第16条第1項に基づく人の健康を保護する上で維持されることが望ましい基準
　PM2.5に係る環境基準の短期基準は日平均値35μg/m³であり、日平均値の年間98パーセンタイル値で評価
※2 高感受性者は、呼吸器系や循環器系疾患のある者、小児、高齢者等
※3 暫定的な指針となる値である日平均値を超えるか否かについて判断するための値

TIP そらまめくん（https://soramame.env.go.jp）

環境省が運営するホームページで、いつ、どこででも、リアルタイムで大気の汚染状態が確認できるよう、全国リアルタイム大気汚染度を公開している。ココでは粒子状物質だけでなく、二酸化窒素、亜硫酸ガスなど、さまざまな汚染物質に対するリアルタイム測定値がチェックできる。

粒子状物質が発生したら

粒子状物質が高濃度に発生した場合、私たちは健康を守るため、どのようなことが出来るでしょうか。一緒に見ていきましょう。

粒子状物質の濃度が高いときはできるだけ外出を控える。

今日は家で遊ぼう！

外出する際は、厚生労働省の認証を受けた防じん規格マスク（DS2）を着用する。

すき間がないようにつけるんだ。

道路沿いや工事現場など、粒子状物質濃度が高い場所に滞在する時間を減らす。

ジョギングやなわとびなど、激しい屋外運動を控える。

外出した後は、流水で手と足、顔などきれいに洗い、うがいをする。

シャアァ

体内に入ってきた有害物質を排出させるため、水を多く飲み、ビタミンが豊富な果物や野菜を食べる。

バスや電車などの公共交通機関を利用し、大気汚染を誘発する行動を控える。

適切な換気や水拭きを行い、空気清浄機を利用して室内空気を浄化する。

ガラガラ

粒子状物質があっても、多少の換気は必要よ。

第4話

ついに始まった
ベスト8の対決！

＊氷晶核　大気中で小さな氷の結晶が作られるとき、中心になる核。

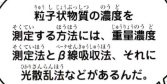

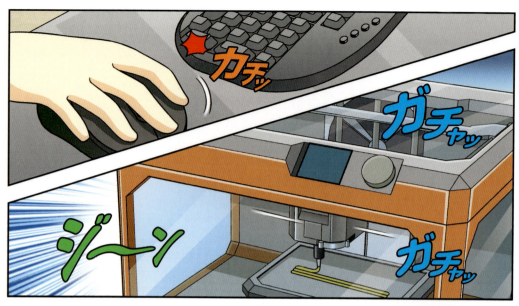

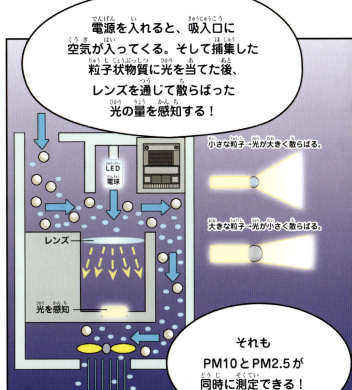

実験対決　理科実験室❹　理科室で実験

植物の空気浄化実験

実験報告書

実験テーマ	観葉植物として知られるヤドリフカノキを利用した実験を通じて、植物の空気浄化効果について調べましょう。
準備する物	❶水槽4個　❷ヤドリフカノキ　❸粒子状物質測定器2台　❹ハサミ ❺接着テープ　❻着火用ライター　❼蚊取り線香　❽蚊取り線香立て 
実験予想	ヤドリフカノキが入っている水槽の空気が、より早くきれいになるでしょう。
注意事項	❶水槽の外に蚊取り線香の煙がもれないよう、接着テープで水槽をよく密封します。 ❷ヤドリフカノキを用意するのが難しければ、同じく観葉植物のアレカヤシやスパティフィラムなど、＊空気浄化能力に優れているとされる別の種類の植物を利用しても構いません。 ❸蚊取り線香を点ける際、やけどをしないように注意しましょう。

＊植物の空気浄化能力を調べた一部の研究で、実験室内での化学物質の除去に効果があったとされる観葉植物など。108ページ参照。

実験方法

❶ 水気のない水槽を2個用意して、片方の水槽にヤドリフカノキを入れます。

❷ それぞれの水槽の中に、長さ3cmに切った蚊取り線香を入れて火を点けます。

❸ それぞれの水槽の中に粒子状物質測定器を入れて作動させます。

＊水槽の外からも粒子状物質測定器がよく見えるように置きます。

❹ それぞれの水槽の上に、同じ大きさの水槽を、フタをするようにのせます。

❺ 接着テープを利用して、水槽の間のすき間を閉じます。

❻ 両方の水槽の粒子状物質の濃度を測定して記録します。

実験対決　理科実験室❹　理科室で実験

❼ 1時間単位で粒子状物質の濃度を測定し記録します。

実験結果　ヤドリフカノキが入っている水槽の空気が、別の水槽の空気よりずっと早くきれいになりました。

（PM2.5基準）

経過時間	ヤドリフカノキの水槽	普通の水槽
実験開始	177μm/m³	176μm/m³
1時間	151μm/m³	171μm/m³
2時間	139μm/m³	165μm/m³

どうしてそうなるの？

ヤドリフカノキが入っている水槽の空気が早く浄化したのは、ヤドリフカノキが粒子状物質を吸収したからです。植物は葉や茎にある小さな穴（気孔）を通して光合成に必要な水や二酸化炭素を吸収しますが、このとき、空気中にある粒子状物質も一緒に吸収します。こうやって吸収された粒子状物質は、植物の根の方に移動し、根の近くにいる微生物のエサになり、除去されるとする研究があります。空気浄化効果が優れた植物には、ヤドリフカノキやアレカヤシ、スパティフィラム、サンスベリア、アロエベラ、アイビーなどがあります。

©Shutterstock

ヤドリフカノキ

博士の実験室2 — 粒子状物質の低減方法

日々深刻化する粒子状物質の問題！
このような粒子状物質を減らすためには、
個人や国家はもちろん、世界的レベルの
努力が必要なんじゃ。

世界保健機関（WHO）は、粒子状物質による大気汚染を
減らすため、段階別に目標を設定。粒子状物質の濃度による
健康への影響を示して、深刻性を表しているんだ。

暫定目標1	＊ガイドラインよりも死亡危険率が約15％高い	
暫定目標2	暫定目標1よりも死亡危険率が約6％少ない	
暫定目標3	暫定目標2よりも死亡危険率が約6％少ない	

1956年、イギリスをはじめ、多くの国が
大気汚染による危険を減らし、
大気をきれいにするために
「大気浄化法」という法律を
制定したんじゃ。

- イギリス　大気浄化法
- アメリカ　大気浄化法
- カナダ　大気浄化法
- 日本　大気汚染防止法
- 韓国　大気環境保全法

また、エコカーを開発・普及
させて、汚染物質の排出が
多い古くなった車やディーゼル車を
減らそうと努力しているんじゃ。

エコカー：電気自動車／水素自動車／ハイブリッド
排出ガス低減装置装着車／排出ガス低減装置

経済活動による
大気汚染物質の排出許容量を
規制し、ものを燃やすときの
大気汚染物質排出量の
削減を勧告しているんじゃ。

タンクローリーやガソリンスタンドなどで
発生する＊油蒸気を回収する装置を設置し、
道路を水掃除して粒子状物質（油蒸気）を
洗い流すんだね。

油蒸気回収装置の設置：ガソリンスタンド／印刷所／クリーニング店

粒子状物質を洗い流そう！

や、やめろ！

私は粒子状物質じゃないんだぞ！

あっ、博士!?
ほこりまみれだったので間違えちゃった。

＊ガイドライン：これを超えると死亡危険率が高まることが確認されている大気汚染物質の基準。物質の種類によって、数値は異なる。
＊油蒸気　油滴が気化して蒸気になったもの。

109

第5話

でも、みんなは大丈夫？

＊捕集板　空気中のほこりを集める装置。

＊イオン化（電離）　中性の分子または原子が、陽イオンや陰イオンに分かれる反応。

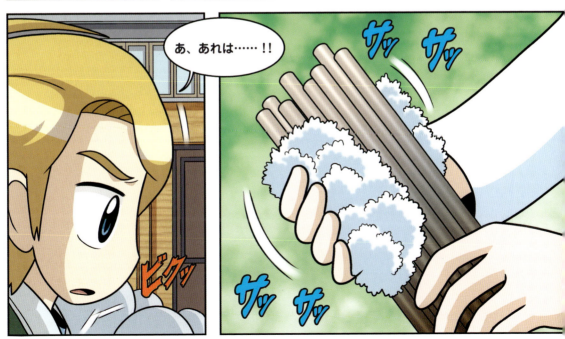

実験対決　理科実験室❺　対決の中の実験

静電気を利用した空気浄化実験

	実験報告書
実験テーマ	＊エボナイト棒で発生させた静電気を利用して、空気浄化の原理について調べてみましょう。
準備する物	❶着火用ライター　❷エボナイト棒2本　❸線香　❹輪ゴム　❺毛皮のはぎれ　❻空のペットボトル2本 
実験予想	エボナイト棒が入っているペットボトルの中の空気がずっと早くきれいになるでしょう。
注意事項	❶静電気がよく発生するよう乾燥した場所で実験します。 ❷線香の煙がもれ出ないよう、ペットボトルのフタをしっかり閉めます。 ❸線香に火を点けるとき、やけどをしないよう注意しましょう。

＊ゴムの一種でできた棒。実験器具の専門店などで購入できる。

実験方法

❶ 2本のペットボトルの中に火の点いた線香を入れ、同じ濃度で煙を満たします。
❷ 煙がもれ出ないよう、ペットボトルのフタをしっかり閉めます。
❸ 輪ゴムでエボナイト棒2本を1つにまとめ、毛皮のはぎれでこすります。
❹ 片方のペットボトルの中にエボナイト棒を入れてフタをよく閉めます。
❺ 2本のペットボトルを比べて観察します。

実験結果

エボナイト棒を入れたペットボトルの中の煙が、何も入れていないペットボトルの中の煙より、早く消えました。

どうしてそうなるの？

エボナイト棒を入れたペットボトルの中の煙が消えた理由は、毛皮でエボナイト棒を摩擦させて生じた電気、つまり静電気のためです。電気を帯びた物体は、反対の電荷を帯びた物体を引っ張る性質を持ちます。すなわち、負電荷を帯びたエボナイト棒が正電荷を帯びた煙の粒子を引っ張り、ペットボトルの中の空気をきれいにしたのです。このように静電気を利用して、空気を浄化する方法は、マスクのフィルターや空気清浄機などに応用されています。

煙が消えたペットボトル

第6話

お互いを心の底から信じるということ

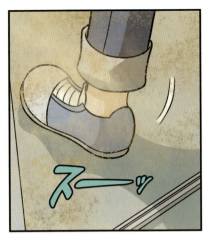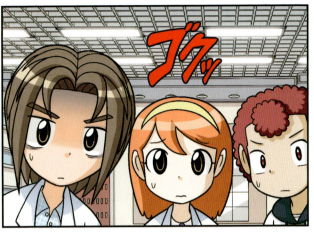

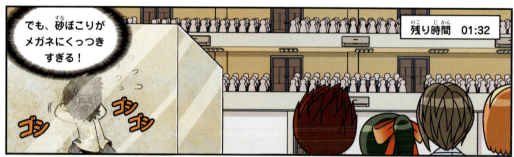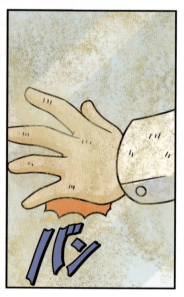

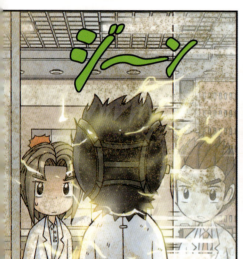

大気汚染と粒子状物質

　工場の煙突が噴き出す煙や、自動車から排出される真っ黒なばい煙、建設現場に立ち込める粉じんなど、多くの要因で大気は汚染されています。特に、粒子状物質は、私たちの生活にも多くの被害を与えています。大気汚染の原因は何で、どうしたらそれらを減らすことができるのか、一緒に見ていきましょう。

生存を脅かす大気汚染

　大気汚染は、ばい煙や粒子状物質、黄砂、一酸化炭素などの汚染物質が自然の自浄能力以上に放出され、生き物に直接的に害を及ぼす状態を意味します。大気汚染の原因は、火山の噴火や砂嵐、花粉などの自然的なものと、工場や自動車から排出されるガスなどの人為的なものに分けることができます。大気汚染は、呼吸器疾患を誘発するだけでなく、スモッグや酸性雨、悪臭の原因になるなど、さまざまな被害を及ぼしています。

ウッ、空気が汚すぎる！

とても小さなほこり、粒子状物質

　最近になって、大気汚染物質の中でとくに深刻なものとされているのが粒子状物質です。粒子状物質は粒子の大きさがとても小さな物質を意味しますが、粒径が10マイクロメートルより小さければPM10、2.5マイクロメートルより小さければPM2.5と区分します。粒子状物質を人の髪の毛の直径と比べたとき、PM10は約5分の1から7分の1ほど小さく、PM2.5は約20分の1から30分の1ほど小さいです。粒子状物質は土壌の粒子や花粉、火山灰などの自然的な原因で発生することもありますが、石炭や石油などといった化石燃料を燃焼させるときや、自動車や工場からガスを排出するときに主に発生します。

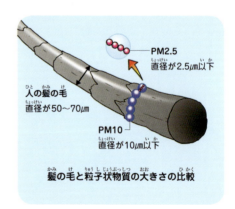

髪の毛と粒子状物質の大きさの比較

PM2.5 直径が2.5μm以下
人の髪の毛 直径が50〜70μm
PM10 直径が10μm以下

粒子状物質が及ぼす影響

粒子状物質はサイレント・キラーと呼ばれるほど、人体に悪い影響を及ぼします。目に見えないほどサイズが小さいため、鼻毛や粘膜に吸着されず、呼吸器に入ったり血管の中にまで入り体中に運ばれたりします。人体に入った粒子状物質は、炎症反応を起こし、呼吸器、心血管、脳など、各器官でさまざまな疾患を誘発します。最近の研究結果によると、粒子状物質が遺伝子さえも変化させ、病気を引き起こす可能性があるとの事実が明らかにされました。粒子状物質は、農作物や生態系はもちろん、経済活動にまで影響を及ぼします。大気中に漂う粒子状物質は、酸性雨を降らせて土壌や水を酸性化させ、農業だけでなく海洋生態系にまで悪影響を及ぼし、半導体といった産業で製品の不良率を増加させたり、機械の誤作動を引き起こしたりすることもあります。また、可視距離が短くなり、飛行機や旅客船の運航に支障をきたすこともあります。

粒子状物質を減らすための努力

粒子状物質の発生原因がさまざまな分、粒子状物質を減らす方法もさまざまです。主な発生原因である排出ガスを減らすため、工場や交通機関の大気汚染物質の排出に対する許容基準を強化し、エコ燃料やエコカーの使用を拡大するために、関連事業や政策を続けています。また、大気中の粒子状物質を洗い流すための超大型の水鉄砲や人工降雨を活用することもあります。最近、オランダや中国では、都心に超大型の空気浄化設備が設置され、注目されたこともありました。中国の大型空気浄化塔は、汚れた空気を塔の底の部分にため、太陽光エネルギーで加熱することで、空気を上昇させてろ過する方式です。オランダのスモッグフリータワーは静電気を利用して、粒子状物質をろ過する方式を使用しています。このような超大型空気浄化設備は、製作費用や大きさなど、さまざまな問題点によって広く利用されてはいませんが、粒子状物質を解決する新たな方法として注目されています。

オランダのスモッグフリータワー

日本語版編集協力　東京大学サイエンスコミュニケーションサークルCAST

⑯ 粒子状物質と大気の対決

2023年12月30日　第1刷発行

著　者　文　ストーリーa.／絵　洪鐘賢（ホンジョンヒョン）
発行者　片桐圭子
発行所　朝日新聞出版
　　　　〒104-8011
　　　　東京都中央区築地5-3-2
　　　　編集　生活・文化編集部
　　　　電話　03-5541-8833（編集）
　　　　　　　03-5540-7793（販売）

印刷所　株式会社リーブルテック
ISBN978-4-02-332315-5
定価はカバーに表示してあります

落丁・乱丁の場合は弊社業務部（03-5540-7800）へ
ご連絡ください。送料弊社負担にてお取り替えいたします。

Translation：HANA Press Inc.
Japanese Edition Producer：Satoshi Ikeda
Special Thanks：Kim Da-Eun / Lee Ah-Ram
　　　　　　　　（Mirae N Co.,Ltd.）

サバイバル公式サイトも見に来てね！
楽しい動画もあるよ
科学漫画サバイバル　検索

この本は広開本製本を採用しています。
株式会社リーブルテック

サバイバルシリーズファンクラブ通信

おたより大募集

ゆうびんもメールもドシドシ！

ファンクラブ通信は、サバイバルの公式サイトでも読めるよ！

みんなからのお手紙、楽しみにしてるよ〜♪

読者のみんなとの交流の場「ファンクラブ通信」は、クイズに答えたり、投稿コーナーに応募したりと盛りだくさん。「ファンクラブ通信」は、サバイバルシリーズ、対決シリーズ、ドクターエッグシリーズの新刊に、はさんであるよ。書店で本を買ったときに、探してみてね！

おたよりコーナー 1

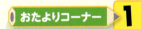
ジオ編集長からの挑戦状

『◯◯のサバイバル』を作ろう？！

みんなが読んでみたい、サバイバルのテーマとその内容を教えてね。もしかしたら、次回作に採用されるかも!?

例 冷蔵庫のサバイバル
何かが原因で、ジオたちが小さくなってしまい、知らぬ間に冷蔵庫の中に入れられてしまう。無事に出られるのか!?（9歳・女子）

おたよりコーナー 2

キミのイチオシは、どの本!?

サバイバル、応援メッセージ

キミが好きなサバイバル1冊と、その理由を教えてね。みんなからのアツ〜い応援メッセージ、待ってるよ〜！

例 鳥のサバイバル
ジオとピピの関係性が、コミカルですごく好きです!! サバイバルシリーズは、鳥や人体など、いろいろな知識がついてすごくうれしいです。（10歳・男子）

おたよりコーナー 3

ケイ館長のサバイバル美術館

上手い！

みんなが描いた似顔絵を、ケイが選んで美術館で紹介するよ。

例

© Han Hyun-Dong/Mirae N

みんなからのおたより、大募集！

① コーナー名とその内容
② 郵便番号 ③ 住所 ④ 名前 ⑤ 学年と年齢
⑥ 電話番号 ⑦ 掲載時のペンネーム（本名でも可）

を書いて、右の宛先に送ってね。
掲載された人には、サバイバル特製オリジナルグッズをプレゼント！

● 郵送の場合
〒104-8011 朝日新聞出版 生活・文化編集部
サバイバルシリーズ ファンクラブ通信係

● メールの場合
junior@asahi.com
件名に「サバイバルシリーズファンクラブ通信」と書いてね。

ファンクラブ通信は、サバイバルの公式サイトでも見ることができるよ。

 科学漫画サバイバル 検索

※応募作品はお返ししません。
※お便りの内容は一部、編集部で改稿している場合がございます。

「科学漫画サバイバル」シリーズが読めるサイト サバイバル図書館

無料で読める!

お気に入りのタイトルを見つけよう!

いつでも「ためし読み」
「科学漫画サバイバル」シリーズの
すべてのタイトルの第1章が読めます

期間限定で「まるごと読み」
サバイバルや他のシリーズが
1冊まるごと読めます

最初は大人と一緒にアクセスしてね!

ウェブサイトはこちら

※読むには、朝日IDと
サバイバルメルマガ会員の
登録が必要です(無料)

© Han Hyun-Dong /Mirae N